Josh
不喜欢地道的中国菜

Josh bù xǐ huan dì dào de zhōng guó cài

Josh

不喜欢地道的中国菜

Josh bù xǐ huan dì dào de
zhōng guó cài

Josh
不喜欢地道的中国菜

Text by Pu-mei Leng 冷步梅
Illustration by Mary Ann Peterson
Cover Layout by Lan Yao 姚岚

To Josh's class, especially to those who had the courage to taste my bitter melon in the class.

Table of Contents

A Note to the Reader

The main text of this book only contains simplified Chinese. The glossary includes traditional Chinese characters which are different from the simplified ones. You will find that there are only a few words that are different. If you are taught in traditional Chinese, try to focus on the story itself, you probably will simply read it through without noticing them or by just guessing the meaning of the simplified characters.

The pinyin is on the left side of the book, in case you need the reference. More than likely this will be for some of the cognates. Just start to read the story in Chinese characters. You will find out how easy it is to read a story in Chinese. In no time you will be like many of my students who often comment that reading pinyin is not as easy and fast as reading characters.

Dear reader, are you ready to leap into a 2000 Chinese characters reader now? Enjoy!

Josh

不喜欢地道的中国菜

Dì yī zhāng

Shén me shì dì dào de zhōng guó cài?

Josh cóng xiǎo jiù xǐ huan chī zhōng guó cài, dàn shì tā xué le zhōng wén yǐ hòu tīng jian tā de zhōng wén lǎo shī shuō, duō bàn měi guó fàn guǎn de zhōng guó cài dōu bú dì dào。 Tā men chī de shì měi guó shì de zhōng guó cài。

第一章

什么是地道的中国菜？

Josh 从小就喜欢吃中国菜，但是他学了中文以后，听见他的中文老师说，多半美国饭馆的中国菜都不地道。他们吃的是美国式的中国菜。

Josh de zhōng wén xué de bú cuò, tā xiǎng
yào shuō dì dào de zhōng wén。 tā yě xiǎng
yào chī dì dào de zhōng guó cài。 tā xī wàng
yǒu yì tiān qù yí ge dì dào de zhōng guó fàn
guǎn yòng zhōng wén diǎn dì dào de zhōng
guó cài。 dàn shì tā bù zhī dào shén me shì
dì dào de zhōng guó cài。

Tā xiǎng, rú guǒ tā gēn zhōng guó rén yì
qǐ xià guǎn zi, tā jiù huì chī dào dì dào
de zhōng guó cài le。 suǒ yǐ, tā duì tā de
zhōng guó péng you xiǎo lǐ shuō, tā xiǎng
gēn xiǎo lǐ yì qǐ xià guǎn zi, tā yào qù yì jiā
xiǎo lǐ xǐ huan de guǎn zi, yīn wèi tā xiǎng
chī dì dào de zhōng guó cài。

Josh 的中文学得不错，他想要说地道的中文。他也想要吃地道的中国菜。他希望有一天去一个地道的中国饭馆用中文点地道的中国菜。但是他不知道什么是地道的中国菜。

他想，如果他跟中国人一起下馆子，他就会吃到地道的中国菜了。所以，他对他的中国朋友小李说，他想跟小李一起下馆子，他要去一家小李喜欢的馆子，因为他想吃地道的中国菜。

Xiǎo lǐ xuǎn le yì jiā hěn xiǎo de guǎn zi,
kàn qǐ lái bù zěn me yàng。 dàn shì Josh
bú zài hu, tā xiǎng zhǐ yào cài dì dào jiù
xíng le, guǎn zi hǎo kàn bù hǎo kàn yǒu
shén me guān xi。

Nà jiā guǎn zi de fú wù yuán yí kàn jian tā
men, jiù guò lái dǎ zhāo hu。 tā gēn xiǎo lǐ
hěn shú。

小李选了一家很小的馆子，看起来不怎么样。但是 Josh 不在乎，他想只要菜地道就行了，馆子好看不好看有什么关系。

那家馆子的服务员一看见他们，就过来打招呼。他跟小李很熟。

Tā shuō: "jīn tiān de xiǎo yú fēi cháng xīn
xiān! nǐ men kě yǐ diǎn kǔ guā xiǎo yú 。 "
xiǎo lǐ shuō: "bù xíng, wǒ de měi guó péng
you jiù ài chī chǎo fàn!" fú wù yuán wèn:
"yào shén me chǎo fàn? " xiǎo lǐ shuō "zhǐ
yào gěi tā chǎo fàn jiù xíng le! shén me chǎo
fàn méi guān xì! tā bú zài hu." dàn shì Josh
tīng de dǒng tā men de huà, tā shuō: "bú shì
shén me chǎo fàn dōu xíng de! wǒ yào dì
dào de zhōng guó chǎo fàn!"

他说："今天的小鱼非常新鲜！你们可以点苦瓜小鱼。" 小李说："不行，我的美国朋友就爱吃炒饭！"服务员问：" 要什么炒饭？ " 小李说"只要给他炒饭就行了！什么炒饭没关系！他不在乎。"但是 Josh 听得懂他们的话，他说："不是什么炒饭都行的！我要地道的中国炒饭！"

Fú wù yuán yì tīng jiù xiào le, tā duì Josh
shuō: "wǒ men de chǎo fàn dōu hěn dì
dào。 gěi nǐ yí fèn yáng zhōu chǎo fàn ba,
shén me dōu yǒu。"

Chǎo fàn hěn hào chī。 dàn shì Josh jué de
dì dào de zhōng guó chǎo fàn gēn tā píng
cháng chī de "měi guó rén chī de" chǎo fàn
chà bù duō。 tā chī bù chū dì dào de zhōng
guó chǎo fàn yǒu shén me tè bié。

服务员一听就笑了，他对 Josh
说："我们的炒饭都很地道。给你
一份扬州炒饭吧，什么都有。"

炒饭很好吃。但是Josh 觉得地道的
中国炒饭跟他平常吃的"美国人吃
的"炒饭差不多。 他吃不出地道的
中国炒饭有什么特别。

Dì èr zhāng

Yòng kuài zi chī dòu fu

Suī rán Josh méi chī chū dì dào de zhōng guó cài gēn měi guó rén chī de zhōng guó cài yǒu shén me bù tóng, dàn shì tā zhī dào tā qù le yī jiā dì dào de zhōng guó fàn guǎn。 yīn wèi tā wèn le jǐ ge xǐ huan chī zhōng guó cài de měi guó rén, tā men dōu méi tīng guò nèi jiā fàn guǎn。 tā yòu wèn le jǐ ge zhōng guó rén, tā men dōu shuō nèi jiā fàn guǎn suī rán xiǎo, shén me cài dōu fēi cháng dì dào, wèi dao tè bié hǎo。

第二章

用筷子吃豆腐

虽然 Josh 没吃出地道的中国菜跟美国人吃的中国菜有什么不同，但是他知道他去了一家地道的 中国饭馆。因为他问了几个喜欢吃中国菜的美国人，他们都没听过那家饭馆。他又问了几个中国人，大家都说那家饭馆虽然小，什么菜都非常地道，味道特别好。

Dì èr ge xīng qí, Josh yòu gēn xiǎo lǐ yì qǐ xià guǎn zi。 tā gào su xiǎo lǐ: "jīn tiān bú yòng diǎn chǎo fàn! nǐ diǎn jǐ ge zhōng guó rén cháng chī de cài, wǒ yào chī dì dào de zhōng guó cài。"

Xiǎo lǐ xuǎn le yì jiā bǐ shàng cì hái xiǎo de guǎn zi, kàn qǐ lái bù zěn me yàng。 dàn shì Josh bú zài hu, tā xiǎng zhǐ yào cài dì dào jiù xíng le, guǎn zi hǎo kàn bù hǎo kàn yǒu shén me guān xi。 xiǎo lǐ gào su Josh, zhè jiā fàn guǎn de fú wù yuán jiù shì lǎo bǎn, cài yě shì tā zuò de。

第二个星期，Josh 又跟小李一起下馆子。他告诉小李："今天不用点炒饭！你点几个中国人常吃的菜，我要吃地道的中国菜。"

小李选了一家比上次还小的馆子，看起来不怎么样。可是 Josh 不在乎，他想只要菜地道就行了，馆子好看不好看有什么关系。小李告诉Josh，这家饭馆的服务员就是老板，菜也是他做的。

Lǎo bǎn yí kàn jian tā men, jiù guò lái dǎ zhāo hu。 tā gēn xiǎo lǐ hěn shú。 tā shuō: "jīn tiān de dòu fu fēi cháng xīn xiān! nǐ men kě yǐ diǎn má pó dòu fu 。" xiǎo lǐ shuō: "bù xíng, wǒ de měi guó péng you yòng kuài zi…" Josh shuō : "fēi cháng dì dào!" lǎo bǎn kàn kan Josh, duì tā shuō: " nǐ de zhōng wén hǎo jí le! "

Josh shuō: "nǎ lǐ! nǎ lǐ! wǒ de zhōng wén mǎ mǎ hu hu."

老板一看见他们，就过来打招呼。
他跟小李很熟。他说："今天的豆
腐非常新鲜！你们可以点麻婆豆
腐。"小李说："不行，我的美国
朋友用筷子…" Josh 说："非常地
道！"老板看看 Josh，对他说："
你的中文好极了！"

Josh说："哪里！哪里！我的中文
马马虎虎。"

Xiǎo lǐ shuō: "nà wǒ men jīn tiān jiù chī dòu fu。" tā diǎn le má pó dòu fu hé pí dàn bàn dòu fu。dàn shì Josh fā xiàn yòng kuài zi chī dòu fu fēi cháng nán。 tā yì jiā dòu fu, dòu fu jiù diào le; tā yòng kuài zi yì chā dòu fu, dòu fu jiù pò le。

小李说："那我们今天就吃豆腐。"他点了麻婆豆腐和皮蛋拌豆腐。但是Josh发现用筷子吃豆腐非常难。他一夹豆腐，豆腐就掉了；他用筷子一叉豆腐，豆腐就破了。

Xiǎo lǐ shuō: "āi yā! nǐ bié yòng kuài zi le。
zhōng guó rén chī dòu fu yě yòng sháo。 nǐ
kàn kan, zhuō zi shang, dì shang, nǐ de shǒu
shang, liǎn shang, shēn shang dōu yǒu dòu
fu! zāng sǐ le。 "

Josh shuō : "dàn shì wǒ de zuǐ lǐ méi yǒu
dòu fu! "

小李说："哎呀！你别用筷子了。中国人吃豆腐也用勺。你看看，桌子上、地上、你的 手上、脸上、身上都有豆腐！脏死了。"

Josh 说："但是我的嘴里没有豆腐！"

Josh bù kěn yòng sháo, yīn wèi xiǎo lǐ shì
yòng kuài zi chī de。 tā kàn kan fàn guǎn lǐ
bié de kè rén, méi yǒu rén yòng sháo, tā men
dōu yòng kuài zi chī dòu fu。 Josh xiǎng,
yòng sháo chī dòu fu yí dìng bú dì dào! tā
bú yào yòng sháo。 nà dùn fàn, Josh chī le
liǎng wǎn bái mǐ fàn, tā bù zhī dào dì dào de
má pó dòu fu hé pí dàn dòu fu shì shén me
wèi dao。

Josh 不肯用勺，因为小李是用筷
子吃的。他看看饭馆里别的客人，
没有人用勺，他们都用筷子吃豆
腐。Josh想，用勺吃豆腐一定不地
道！他不要用勺。那顿饭，Josh 吃
了两碗白米饭，他不知道地道的麻
婆豆腐和皮蛋豆腐是什么味道。

Dì sān zhāng

Dà guǎn zi de ná shǒu cài

Yí ge yuè yǐ hòu, xiǎo lǐ guò shēng rì。 Josh
dǎ suàn qǐng xiǎo lǐ。 tā duì xiǎo lǐ shuō:
"jīn tiān nǐ shēng rì, wǒ qǐng kè。 wǒ men
qù yì jiā dà guǎn zi。 nǐ duō diǎn yì xiē dì
dào de zhōng guó cài。 wǒ jīn tiān dǎ suàn
yòng dāo chā!" tā xiǎng, zhǐ yào chī dào
dì dào de zhōng guó cài jiù xíng le, yòng bú
yòng kuài zi chī yǒu shén me guān xi!

第三章

大馆子的拿手菜

一个月以后，小李过生日。Josh打算请小李。他对小李说："今天你生日，我请客。我们去一家大馆子。你多点一些地道的中国菜。我今天打算用刀叉！"他想，只要吃到地道的中国菜就行了，用不用筷子吃有什么关系！

Tā men qù le yì jiā dà fàn guǎn。 fú wù yuán yí kàn jian tā men, jiù guò lái dǎ zhāo hu。 Josh shuō: "jīn tiān shì wǒ péng you de shēng rì! nǐ men yǒu shén me tè bié cài?"

Fú wù yuán shuō:"guò shēng rì, xiān lái yì wǎn shǒu lā miàn zěn me yàng? shī fù xiàn lā de。"

Xiǎo lǐ shuō: "wǒ de měi guó péng you yí dìng yào chī dì dào de zhōng guó cài。 wǒ men diǎn nǐ men de ná shǒu cài。"

他们去了一家大饭馆。服务员一看见他们，就过来打招呼。Josh说："今天 是我朋友的生日！你们有什么特别菜？"

服务员说："过生日，先来一碗手拉面怎么样？师傅现拉的。"

小李说："我的美国朋友一定要吃地道的中国菜。我们点你们的拿手菜。"

Fú wù yuán shuō: "dāng rán! dāng rán! wǒ
men de ná shǒu cài jiù shì kǔ guā, gè shì gè
yàng de zuò fǎ, hěn yǒu míng de。"

Xiǎo lǐ xiào le, "hǎo, wǒ jīn tiān dǎ suàn
ràng wǒ de péng you chī diǎn kǔ tou。nǐ
men yǒu nǎ xiē cài?"

Fú wù yuán yì tīng yě xiào le, tā xiǎo shēng
de shuō: "dàn shì měi guó rén chī de guàn
ma?"

服务员说："当然！当然！我们的拿手菜就是苦瓜，各式各样的做法，很有名的。"

小李笑了："好，我今天打算让我的朋友吃点苦头。你们有哪些菜？"

服务员一听也笑了：他小声说："可是美国人吃得惯吗？"

Josh tīng jian le, tā shuō: "dāng rán chī de
guàn! wǒ yào chī dì dào de zhōng guó cài!
nǐ men de ná shǒu cài!"

Fú wù yuán shuō:"hǎo hǎo hǎo! nǐ zhōng
wén shuō de hěn dì dào! wǒ gěi nǐ men jiè
shao jiè shao ba! xiǎo cài yǒu kǔ guā xiǎo
yú。zhǔ cài yǒu kǔ guā zhēng pái gu, hái
yǒu kǔ guā chǎo dàn。　tāng kě yǐ lái yí dào
kǔ guā ròu tāng!"

Xiǎo lǐ shuō: "jiù zhè xiē ba 。 "

Josh听见了，他说："当然吃得惯！我要吃地道的中国菜！你们的拿手菜！"

服务员说：" 好好好！你中文说得很地道！我给你们介绍介绍吧！小菜有苦瓜小鱼。主菜有苦瓜蒸排骨，还有苦瓜炒蛋。汤可以来一道苦瓜肉汤！"

小李说："就这些吧。"

Dì sì zhāng

Wǒ bù xǐ huan chī kǔ

Josh yì chī kǔ guā xiǎo yú jiù shuō: "nán
chī! shén me wèi dao? hǎo xiàng chī yào!"
xiǎo lǐ shuō: " zhè shì dì dào de xiǎo cài,
yuè chī yuè hǎo chī. 。   nǐ zài cháng
chang。 "
Josh chī le pái gu, shuō: "pái gu yě yǒu kǔ
wèi!"
Tā yòu chī le dàn, "zěn me dàn yě shì kǔ
de?"

第四章

我不喜欢吃苦

Josh一吃苦瓜小鱼就说："难吃！什么味道？好像吃药！"

小李说："这是地道的小菜，越吃越好吃。你再尝尝。"

Josh 吃了排骨，说："排骨也有苦味！"

他又吃了蛋，"怎么蛋也是苦的？"

Xiǎo lǐ shuō:"nǐ yào diǎn tā men de ná shǒu
cài a。tā men de ná shǒu cài jiù shì kǔ guā,
zěn me chī dōu yǒu yì diǎn'r kǔ wèi'r。
chī bú guàn ba? wǒ kàn nǐ hái shì diǎn chǎo
fàn ba。 yí dìng yǒu gěi měi guó rén chī de
chǎo fàn。

Xiǎo lǐ bù chī pái gu yě bù chī dàn。 tā
jiù chī kǔ guā 。 tā chī de hěn mǎn yì 。

小李说："你要点他们的拿手菜
啊。他们的拿手菜就是苦瓜，怎
么吃都有一点儿苦味儿。吃不惯
吧？我看你还是点炒饭吧。一定
有给美国人吃的炒饭。

小李不吃排骨也不吃蛋，他就吃
苦瓜。 他吃得很满意。

Josh shuō:"zhè jiù shì dì dào de zhōng guó cài? zhōng guó rén zěn me xǐ huan chī kǔ de……?"

Xiǎo lǐ shuō: "yīn wèi zhōng guó rén jué de chī kǔ hěn zhòng yào, rén děi bú pà kǔ。 nǐ dǒng chī kǔ de yì si ba?"

Josh shuō: "dāng rán dǒng。 nǐ men cháng cháng shuō měi guó rén rì zi guò de tài shū fu le, bù néng chī kǔ。 zhōng guó rén néng chī kǔ。 dàn shì wǒ shì wèn zhōng guó rén wéi shén me xǐ huan chī kǔ de dōng xi。 "

Josh 说："这就是地道的中国菜？中国人怎么喜欢吃苦的……？"

小李说："因为中国人觉得吃苦很重要，人得不怕苦。你懂吃苦的意思吧？"

Josh说："当然懂。你们常常说美国人日子过得太舒服了，不能吃苦。中国人能吃苦。但是我是问中国人为什么喜欢吃苦的东西。"

Xiǎo lǐ shuō:"Josh, nǐ de zhōng wén xué de zhēn bú cuò。 zhōng guó rén jué de kǔ de dōng xi dōu duì shēn tǐ hǎo。 měi guó rén jiù xǐ huan chī tián de。 dàn shì zhōng guó rén jué de xiān kǔ hòu tián bǐ jiào hǎo。 kǔ guā hǎo chī, yīn wèi chī de shí hòu yǒu yì diǎn kǔ, kě shì chī le yǐ hòu huì jué de zuǐ lǐ yǒu yì diǎn tián。 nǐ tīng guò yí ge chéng yǔ 'kǔ jìn gān lái' ma?"

小李说："Josh，你的中文学得真不错。中国人觉得苦的东西都对身体好。美国人就喜欢吃甜的。但是中国人觉得先苦后甜比较好。苦瓜好吃，因为吃的时候有一点苦，可是吃了以后会觉得嘴里有一点甜。你听过一个成语'苦尽甘来'吗？"

Josh shuō: "qǐ yǒu cǐ lǐ。 shén me xiān kǔ hòu tián! wǒ yuè chī yuè kǔ。 hái hǎo, wǒ bú shì zhōng guó rén。 wǒ bù xǐ huan chī kǔ。"

Xiǎo lǐ shuō:" Josh, zhōng wén hěn nán, xué zhōng wén yào néng chī kǔ a。 néng chī kǔ jiù huì kǔ jìng ān lái!"

Josh 说："岂有此理。什么先苦后甜！我越吃越苦。 还好，我不是中国人。我不喜欢吃苦。"

小李说："Josh，中文很难， 学中文要能吃苦啊。能吃苦就会苦尽甘来！"

Josh shuō: "bú duì, bú duì。 lěng lǎo shī
shuō zhōng wén yì diǎn'r yě bù nán, kuài lè
hàn yǔ。 yào kāi kāi xīn xīn de xué。 chī kǔ
wǒ bù kāi xīn。 wǒ shì měi guó rén。 wǒ
bú yào chī kǔ。 "

Nà dùn fàn, Josh jiù chī le lā miàn。 tā méi
chī bǎo。

Josh说："不对，不对。冷老师说中文一点儿也不难，快乐汉语。要开开心心地学。吃苦我不开心。我是美国人。我不要吃苦。"

那顿饭，Josh 就吃了拉面。他没吃饱。

Fàn hòu tā duì xiǎo lǐ shuō; "xiǎo lǐ, jīn tiān shì nǐ de shēng rì, wǒ bù néng ràng nǐ chī kǔ。 wǒ qǐng nǐ qù chī shēng rì dàn gāo ba! wǒ men qù chī zuì tián de měi guó dàn gāo。 zhè yàng wǒ jiù kě yǐ kǔ jìn gān lái le。 "

Fú wù yuán yì tīng tā shuō wán jiù pāi qǐ shǒu lái, tā duì Josh shuō: "nǐ de zhōng wén xué de tài dì dào le。 "
Josh shuō: "nǎ lǐ nǎ lǐ!dàn shì wǒ chī bú guàn dì dào de zhōng guó cài。 "

饭后他对小李说；"小李，今天是你的生日，我不能让你吃苦。我请你去吃生日蛋糕吧！我们去吃最甜的美国蛋糕。这样我就可以苦尽甘来了。"

服务员一听他说完就拍起手来，他对Josh说："你的中文学得太地道了。"

Josh 说："哪里哪里！但是我吃不惯地道的中国菜。"

Josh zhōng yú fā xiàn dì dào de zhōng guó

cài méi yǒu měi guó huà de zhōng guó cài

hǎo chī le 。

Josh 终于发现地道的中国菜没有美国化的中国菜好吃了。

GLOSSARY
词索

āi yā	哎呀
ba	吧
bái mǐ fàn	白米饭
bǐ jiào hǎo	比较好
bǐ…hái xiǎo	比…还小
bié de	别的
bié…le	别…了
bù	不
bú duì	不对
bù kěn	不肯
bù néng	不能
bú pà kǔ	不怕苦
bú shì	不是
bù xíng	不行
bú zà ihū	不在乎
bù zěn me yàng	不怎么样
chā	叉
cháng chang	尝尝
chǎo dàn	炒蛋
chǎo fàn	炒饭
chéng yǔ	成语
chī	吃
chī bǎo	吃饱

	gosh
	indicating suggestion
白米飯	white rice
比較好	is better
比…還小	even smaller than…
	other
	don't
	not
不對	not correct
	is not willing to
	cannot
	not afraid of hardship
	It is not…
	no; it cannot be done
	do not care
不怎麼樣	not so impressive·
	to pick
嘗嘗	to taste
	fry egg
炒飯	fry rice
成語	idiom expression
	to eat
吃飽	eat enough

chī bù chū	吃不出
chī bú guàn	吃不惯
chī dào	吃到
chī de guàn	吃得惯
chī diǎn kǔ tou	吃点苦头
chī kǔ	吃苦
chī yào	吃药
cóng xiǎo	从小
dà	大
dǎ suàn	打算
dǎ zhāo hu	打招呼
dàn gāo	蛋糕
dàn shì	但是
dāng rán	当然
dāo chā	刀叉
de	的
...de shí hòu	. . . 的时候
děi	得
dì dào	地道
dì èr ge xīng qí	第二个星期
dì shàng	地上
diǎn cài, diǎn...cài	点菜，点...菜
diào le	掉了

	cannot taste
吃不慣	cannot get used to eat…
	can eat
吃得慣	can be used to the food
吃點苦頭	taste a little problem
	to endure hardship
吃藥	taking medicine
從小	since young
	big, large
	to plan
	to greet
	cake
	but
當然	of course
	knife and fork
	of, 's
. . . 的時候	…when
	must
	authentic
第二個星期	the second week
	on floor
點菜，點…菜	to order (dishes)
	dropped

dǒng	懂
dōu	都
dòu fu	豆腐
duì shēn tǐ hǎo	对身体好
duì…shuō	对…说
duō bàn	多半
duō diǎn yì xiē…	多点一些…
fā xiàn	发现
fàn guǎn	饭馆
fēi cháng	非常
fú wù yuán	服务员
gè shì gè yàng	各式各样
gěi	给
gěi…jiè shao jiè shao	给…介绍介绍
gēn…chà bù duō	跟…差不多
gēn…hěn shú	跟…很熟
gēn…yì qǐ	跟…一起
guò lái	过来
guò shēng rì	过生日
hái hǎo	还好
hái shì	还是
hàn yǔ	汉语
hǎo	好
hào chī	好吃

	to understand
	all, both
	bean curd
對身體好	good for one's health
對…說	said to…
	most
多點一些	to order some more
發現	to find out; to discover
飯館	restaurant
	very
服務員	waiter
各式各樣	every type and style
給	to give
給...介紹介紹	Introduce for…
	is more or less the same as…
	be well acquainted with…
	to be with….
過來	to come over
過生日	to celebrate a birthday
還好	luckily
還是	still
漢語	Chinese language
	good; okay
	taste good

hǎo jí le	好极了
hǎo kàn	好看
hǎo xiàng	好像
hǎo hǎo hǎo!	好好好！
hé	和
hěn xiǎo	很小
hòu	后
huà	话
huì	会
jiā	夹
jīn tiān	今天
jiù	就
jiù ài chī	就爱吃
jiù xíng le	就行了
Jiù zhè xiē ba	就这些吧
jiù…le	就...了
jué de	觉得
kāi kāixīn xīn de	开开心心地
kàn kan	看看
kàn qǐ lái	看起来
kè rén	客人
kě yǐ	可以
kǔ guā	苦瓜

苦盡甘來	the good life comes after the hardship ends
	bitter taste
快樂	happy
	chopsticks
來一道	Give me an order of….
	the owner
老師	teacher
臉上	on one's face
兩碗	two bowl of..
嗎	?
馬馬虎虎	so so
	Ma Po Toufu, spicy bean curd
滿意	is satisfied
沒關係	it does not matter
美國	USA; American
美國化	Americanized
美國人吃的	(the food) which American eat
美國式	American style
	not have
	not as tasty as….
哪裡哪裡	You are too kind
	good at ; specialty
	which (plural)

na(nèi) dùn fàn	那顿饭
nà/nèi	那
nán	难
nán chī	难吃
pái gu	排骨
pāi qǐ shǒu lái	拍起手来
péng you	朋友
pí dàn bàn dòu fu	皮蛋拌豆腐
píng cháng	平常
pò le	破了
qǐ yǒu cǐ lǐ	岂有此理
qǐng kè	请客
qǐng xiǎo lǐ	请小李
qù	去
ràng	让
ròu	肉
rú guǒ…jiù	如果…就
shàng cì	上次
sháo	勺
shén me	什么
shén me dōu yǒu	什么都有
shēn shang	身上
shì	是

那頓飯	that meal
	then, that
難	is difficult;
難吃	taste bad
	rib; bone
	start to clap
	friend
	thousand year's egg mixing
	bean curd
	usual
	turn to pieces
豈有此理	nonsense
請客	to treat
請小李	to treat Xiao Li
	to go
讓	to let
	meat
	if…then
	the last time
	spoon
什麼	what
什麼都有	to have everything
	on one's body
	is, are, am, was,

shī fù	师傅
shì…de	是…的
shǒu lā miàn	手拉面
shǒu shang	手上
shuō	说
sì zi guò de	日子过得
tā	他
tā men	他们
tài shū fu le	太舒服了
tāng	汤
tè bié	特别
tián	甜
tīng de dǒng	听得懂
tīng guò	听过
tīng jian	听见
wèi dao	味道
wèn	问
wǒ	我
wǒ kàn	我看
xǎo yú	小鱼
xǐ huan	喜欢
xī wàng	希望

師傅	the chef
	It is…(to emphasize)
手拉麵	hand-pulled noodle
	on one's hands
說	to speak
日子過得	to live (daily life)
	he, him
他們	they
	too comfortable; too easy
湯	soup
	special
	sweet
聽得懂	can understand what heard
聽過	have heard
聽見	heard
	taste; flavor
問	to ask a question
	I, me
	In my opinion,
	small fish; anchovy
喜歡	to like
	to wish; to hope

xià guǎn zi	下馆子
xiān	先
xiàn lā	现拉
xiǎng	想
xiǎng chī	想吃
xiǎng yào	想要
xiǎo cài	小菜
xiào le	笑了
xiǎo lǐ	小李
xiǎo shēng	小声
xīn xiān	新鲜
xuǎn le	选了
xué de bù cuò	学得不错
yáng zhōu chǎo fàn	扬州炒饭
yào qù	要去
yě	也
yì diǎ 'er yě bù	一点儿也不
yí dìng	一定
yí fèn	一份
yí ge yuè	一个月
yí ge	一个
yǐ hòu	以后

下館子	go to a restaurant
	first
現拉	pull on the spot
	to think
	to feel like to eat
	to want
	apetizer
	laughted; smiled
	Little Li (a young man whose last name is LI)
小聲	in low voice
	fresh
選了	to select
學得不錯	leanrs well
揚州炒飯	Yangzhou fry rice
	to go
	also
一點兒也不	not at all …
	must
	one part/one order
一個月	one month later
一個	one
以後	after

yì jiā guǎn zi	一家馆子
yì si	意思
yī…jiù	一…就
yīn wèi	因为
yòng	用
yòu	又
yǒu	有
yǒu míng	有名
yǒu shén me guān xi	有什么关系
yǒu yì diǎ' er	有一点儿
yǒu yì tiān	有一天
yuè …yuè …	越..越..
zài	再
zàng sǐ le	脏死了
zěn me	怎么
zěn me… dōu	怎么…都
zhè yàng	这样
zhēn	真
zhēng	蒸
zhī dao	知道
zhǐ yào	只要
zhōng guó	中国
zhōng guó cài	中国菜
zhōng guó rén	中国人

一家館子	one testaurant
	meaning
	as soon as…then…
因為	because
	to use
	again (the past and the present)
	to have
	famous
有什麼關係	does it matter?
有一點兒	a little
	one day
	the more ... the more…
	again (the future)
髒死了	so dirty
怎麼	how; how come
怎麼...都	no matter how…will all
這樣	this way
	really
	to steam
	to know
	as long as
中國	Chinese, China
中國菜	Chinese cuisine
中國人	Chinese (people)

zhòng yào	重要
zhōng yú	终于
zhǔ cài	主菜
zhuō zi shang	桌子上
zuǐ lǐ	嘴里
zuì tián de	最甜的
zuò (cài)	做（菜）
zuò fǎ	做法

	important
終於	finally
	main course
	on the table
嘴裡	in the mouth
	sweetest
	to cook; to make a dish
	ways of making